JEUNESSE

De la même auteure

Jeunesse

Émilie, la baignoire à pattes, conte, Éditions Héritage, 1976.
   Prix du Conseil des Arts du Canada - 1976
   Prix de l'ASTED - 1977
Nouvelle édition révisée, Québec Amérique Jeunesse,
collection Bilbo, 2002.

Le Chat de l'oratoire, roman, Éditions Fides, 1978. Réédité en
1983, traduit en anglais, 1983 et reproduit en braille, 1984.

Émilie, la baignoire à pattes, album, Éditions Héritage, 1978.

20 albums seize pages, Éditions Le Sablier/Graficor, Collection
Tic Tac Toc, 1978, 1979 et 1980.

La Révolte de la courtepointe, conte, Éditions Fides, 1979.
   Mention d'excellence de L'ACELF, 1978.
   Reproduction en braille, 1983.

La Maison tête de pioche, conte, Éditions Héritage, 1979.

Une boîte magique très embêtante, théâtre pour enfants,
Éditions Leméac, 1981.

La Dépression de l'ordinateur, roman de science-fiction pour
adolescents, Éditions Fides, 1981, traduit en anglais, 1984.

La Grande Question de Tomatelle, conte, Éditions Leméac, 1982.

Comment on fait un livre? documentaire pour la jeunesse,
Édition du Méridien, 1983.

Bach et Bottine, roman, Coll. Contes pour tous #3, Éditions
Québec Amérique, 1986. Traduit en anglais et en chinois.

20 textes de lectures, Éditions Graficor, Collection Trioh, 1988.

30 textes de lecture, Éditions du Renouveau Pédagogique,
Collection En tête 2, 1992.

Le Petit Violon muet, album avec cassette ou D.C.,
Le Groupe de divertissement Madacy, 1997.

Émilie
la baignoire
à pattes

Émilie
la baignoire
à pattes

D'après une idée originale de Gertrude Scalabrini

BERNADETTE RENAUD

ILLUSTRATION : JOANNE OUELLET

106

Édition révisée

QUÉBEC AMÉRIQUE jeunesse

Données de catalogage avant publication (Canada)

Renaud, Bernadette
Émilie, la baignoire à pattes
(Bilbo Jeunesse; 106)
ISBN 2-7644-0143-4
I. Titre. II. Collection
PS8585.E63E45 2002   jC843'.54   C2001-941679-2
PS9585.E63E45 2002
PZ23.R46Em 2002

Nous reconnaissons l'aide financière du gouvernement du Canada par l'entremise du Programme d'aide au développement de l'industrie de l'édition (PADIÉ) pour nos activités d'édition.

Gouvernement du Québec – Programme de crédit d'impôt pour l'édition de livres – Gestion SODEC.

Les Éditions Québec Amérique bénéficient du programme de subvention globale du Conseil des Arts du Canada. Elles tiennent également à remercier la SODEC pour son appui financier.

Émilie, la baignoire à pattes dans sa version originale, publiée en 1976, a obtenu deux prix : **Prix de littérature de jeunesse** 1976 par le Conseil des Arts du Canada, **prix Alvine-Bélisle** 1977 par l'Association des sciences et des techniques de la documentation (ASTED)

Québec Amérique
329, rue de la Commune Ouest, 3e étage
Montréal (Québec) H2Y 2E1
Téléphone : (514) 499-3000, télécopieur : (514) 499-3010

Dépôt légal : 1er trimestre 2002
Bibliothèque nationale du Québec
Bibliothèque nationale du Canada

Révision linguistique : Diane Martin
Montage : Andréa Joseph [PAGEXPRESS]
Réimpression avril 2003

CHAPITRE
UN

Dans le hangar poussiéreux, c'est le silence. Un fauteuil à trois pattes essaie de se redresser pour voir, une bicyclette sans roues se penche pour reluquer et de vieux chapeaux se tournent pour dévisager la nouvelle venue.

Au milieu du hangar où l'on vient de la déposer sans précaution, Émilie la baignoire à pattes est bien malheureuse. « Me faire ça à moi, se dit-elle toute triste. Après tant d'années de service. » Pauvre

Émilie! Elle se sent comme une vieille carcasse inutile et finie. Comme elle a envie de pleurer!

Dans un coin, une malle usée s'entrouvre. Elle veut savoir ce qui se passe.

— Hum, hum… clapote-t-elle pour attirer l'attention de la nouvelle venue.

— Êtes-vous donc si pressée? lui chuchote une lampe un peu défraîchie. Faites comme nous: attendez! Nous n'avons rien à faire; pourquoi tout savoir tout de suite?

— En effet, maugrée sourdement un vase ébréché. Gardons-nous quelque surprise pour tout à l'heure.

Émilie commence à regarder autour d'elle. C'est difficile de repérer les autres objets; il fait si sombre dans le hangar. Après quelques instants, elle s'habitue à la pénombre et elle discerne enfin ce qui l'entoure. À la vue de ces vieilleries, de la poussière et de la laideur du hangar, Émilie éclate en sanglots, le cœur brisé.

—Je ne sers plus à rien. Ma vie est finie.

La lampe hoche son abat-jour bosselé.

—Allons, allons… Du courage, dit-elle gentiment. Êtes-vous donc si malheureuse?

Émilie renifle et regarde la lampe en pleurant.

—Ouiiiiiiiiii, répond-elle au milieu de ses larmes.

—Mais nous sommes tous ici depuis longtemps et nous ne sommes pas malheureux.

Émilie pleure encore plus fort. La lampe comprend ce que l'étrangère veut dire. Elle aussi a eu du chagrin quand on l'a rejetée au hangar. Oui, la lampe comprend la baignoire. Et elle se tait.

Dans son coin, la malle proteste, un peu vexée.

— Vous savez, madame la baignoire, c'est très bien d'être ici. Avant, nous devions toujours servir les maîtres ici et là, être transportés, utilisés, parfois malmenés. Maintenant, nous vivons dans le calme et personne ne vient nous déranger.

— Mais c'était bien plus amusant d'être dérangés, protestent les chapeaux. Les gens nous mettaient sur leur tête et nous allions en promenade dans les rues, les magasins, les bureaux, partout. Euh... sauf dans les maisons, bien sûr ; on nous laissait au vestiaire, ajoutent les chapeaux à voix basse. Mais le reste du temps, c'était bien amusant.

— Moi, commence la malle, j'ai beaucoup voyagé. J'ai vu toutes sortes de pays et de villes et je pourrais vous en raconter des histoires pendant longtemps. Tenez, par exemple. Un jour…

—Bien sûr, bien sûr, dit la bicyclette qui interrompt la malle avant que celle-ci commence à radoter. Bien sûr, nous savons tout cela. Mais en attendant, il faudrait s'occuper de notre nouvelle amie.

—Oui, oui, l'appuie la lampe qui voit bien que la baignoire se sent comme une étrangère au milieu de tous ces objets et que la discussion la rend encore plus triste.

—Il faudrait d'abord lui trouver une place, suggère le vase.

—Non! s'écrie Émilie en sortant de sa torpeur. Non et non, répète-t-elle. La place d'une baignoire n'est pas dans un hangar mais dans une salle de bains. Je refuse de rester ici. Je refuse!

La lampe essaie de la calmer.

—Nous non plus, nous ne sommes pas à notre vraie place ici.

Mais nous sommes vieux et c'est le moment de nous reposer après une vie bien remplie. Est-ce si terrible de se reposer ?

Émilie la baignoire ne se calme pas du tout. Au contraire, elle se fâche encore plus fort.

— Me reposer ? Qui a décidé que j'étais fatiguée ? Je ne veux pas me reposer. Je veux continuer ce que j'ai toujours fait. Je ne veux rien d'autre.

Les vieux meubles se regardent et hochent la tête. Eux aussi auraient préféré demeurer dans la maison, mais ils sont là, dans le hangar. La baignoire sera bien obligée de se résigner, elle aussi. Pauvre baignoire…

CHAPITRE
DEUX

« P auvre baignoire ! » C'est aussi ce que pense la fée Porcelaine, là-bas, dans son pays magique de toutes les baignoires à pattes. Habituellement, les vieilles baignoires acceptent leur sort et ne protestent pas. On les utilise, c'est bien. On les met au rebut, c'est encore bien. Mais Émilie, elle, refuse. Et la fée Porcelaine est fière de son courage. « En voilà une qui a du caractère », se dit-elle.

La fée Porcelaine convoque alors une assemblée d'urgence pour discuter de ce cas inhabituel.

Les baignoires rappliquent aussitôt, impatientes de savoir ce qui se passe. Sans perdre de temps, la fée Porcelaine les informe de ce qui vient d'arriver à leur sœur Émilie.

— Mais c'est normal, chuchotent quelques-unes d'entre elles.

Une baignoire s'avance, tousse un peu pour se dérouiller et clame d'une voix métallique.

— Au contraire ! C'est une injustice ! Émilie, notre sœur Émilie, a servi fidèlement ses maîtres, tous les jours de sa vie. Remplie d'eau chaude, elle les a aidés à devenir propres. Tous les gens de cette maison ont profité de ses services. Oui, tous. Ceux qui l'habitent maintenant et tous ceux d'avant.

— Oui, oui, c'est vrai, s'exclame une autre baignoire. Même les enfants qui jouaient dans la terre et qui avaient du sable jusque dans les oreilles. Même le chien que les enfants lavaient avec une brosse.

—Un chien ? s'écrie une baignoire neuve. C'est dégoûtant ! Pouah !

—Nous sommes là pour laver les gens, nous pouvons laver un chien aussi, proteste une bonne vieille baignoire généreuse.

La baignoire qui avait pris la parole toussote pour montrer son mécontentement d'être dérangée dans son discours. Puis elle continue sans plus attendre.

—Donc, Émilie a toujours bien fait son travail. Mais ce n'est pas tout ! Un jour…

L'assemblée cesse de chuchoter et suit avec attention.

—Un jour, chuchote-t-elle, un jour Émilie a failli mourir en faisant son travail.

Un long murmure d'effroi glisse dans la salle.

—Oui, Émilie a failli mourir. Un jour, quelqu'un a voulu prendre un bain. Il a fait couler l'eau du robinet, a sorti une serviette propre, choisi un savon et… a oublié de fermer le robinet. L'eau a monté, monté, monté… Émilie avait peur. L'eau montait, montait, encore et encore…

—Et alors? demandent les baignoires apeurées.

—Hé bien… hé bien… fait la baignoire en toussotant, l'eau n'est pas montée jusqu'au bord puisque, sous le robinet, il y avait un petit trou, un trop-plein qui permettait à l'eau de s'écouler. Mais Émilie a quand même failli se noyer! se hâte-t-elle d'ajouter. C'est grave, ça!

Les autres pouffent de rire.

—Voyons, voyons, ma bonne amie, rectifie la fée Porcelaine. Une baignoire ne peut pas se noyer. Il y a toujours un trop-plein. Émilie ne courait aucun danger.

La baignoire va reprendre sa place, déçue d'avoir raté son effet dramatique. Ensuite une baignoire solennelle vient faire son petit discours, en parlant lentement, pour être bien comprise de toutes ses collègues.

— À mon avis, après toutes ses années de loyaux services, Émilie devrait recevoir une récompense et non être jetée au hangar. Voilà ! C'est tout ce que j'avais à dire.

— Ce n'est pas ce que je pense, réplique une baignoire désinvolte. Une baignoire est faite pour laver des gens. Si elle ne peut plus les laver, c'est normal qu'elle soit remplacée et qu'elle soit remisée.

— Hé là ! Hé là ! proteste une autre dans la force de l'âge. Qui a dit qu'elle ne pouvait plus laver ?

Une baignoire, c'est bon pour la vie. C'est du solide.

—Justement, réplique une toute jeune de sa voix un peu pointue. Justement! C'est trop solide. C'est bien long, une vie. Les gens ont le droit de souhaiter du changement. Et puis, il faut être de son temps. Aujourd'hui, les humains veulent des douches. C'est plus pratique et c'est moins encombrant. L'avenir est aux douches!

—Bravo! Bravo! s'exclament quelques membres de l'assemblée sans se rendre compte que, si les gens rejettent toutes les baignoires, elles seront bien mal prises, elles aussi.

—Allons, allons, ajoute une autre à la voix douce. Nous avons raison, chacune à notre façon. Oui, Émilie a bien fait son travail toute sa vie. Non, elle ne devrait pas être rejetée au hangar. Oui, elle pourrait encore être utile. Oui, c'est vrai que les humains préfèrent les douches. Mais nous devons admettre qu'à son âge Émilie n'est plus étincelante comme dans sa jeunesse. Après toutes ces années, elle doit avoir la peau jaunie, le ventre écaillé, les yeux cernés et, avouons-le, les pattes démodées. Peut-être qu'Émilie pourrait trouver un autre travail. Ou encore une autre maison. Elle aurait peut-être une vie plus agréable, qui sait.

L'assemblée réfléchit. Que faire? Comment venir en aide à Émilie?

— De toute façon, elle est prisonnière dans le hangar. Comment pourrait-elle se trouver une autre maison? demande une baignoire avec raison.

Comme elles ne trouvent pas de solution, elles commencent à se fatiguer de cette histoire et elles ont hâte de terminer la réunion.

—On ne peut quand même pas aller la sortir du hangar! s'écrie une autre baignoire.

La fée Porcelaine sourit. Voilà la solution. Donner à Émilie un don ou un privilège qui lui permettrait de se tirer elle-même de cette situation. Elle a du courage; elle saura se débrouiller et trouver la meilleure chose à faire.

—Mesdames les baignoires, dit-elle enfin, je suggère d'aider Émilie en lui donnant les moyens de se sortir de ce hangar et de se trouver elle-même un nouveau travail ou une nouvelle maison.

Soulagées de clore la réunion, les baignoires approuvent et crient en chœur:

—Hourra! Hourra! Vive Émilie! Courage, Émilie! Hourra! Hourra!

Par-delà les mers, par-delà les montagnes et par-delà les pays, la fée Porcelaine envoie à Émilie un don extraordinaire : le don de marcher avec ses quatre petites pattes !

CHAPITRE
TROIS

D ans le hangar poussiéreux, Émilie ressent tout à coup une audace nouvelle.

— Ah, je suis laide ? Ah, je suis vieille ? Eh bien, je prouverai à tout le monde que je suis encore utile. Si je m'écoutais, je retournerais immédiatement dans la maison et je reprendrais ma place !

À côté d'elle, une araignée épeire s'avance lentement en se déhanchant. Les longues et fines jambes de soie frôlent à peine la baignoire, mais celle-ci n'est pas d'humeur à se laisser marcher sur le dos.

—Laisse-moi tranquille ! rage-t-elle.

Et elle repousse vivement l'araignée avec sa patte.

Une baignoire qui bouge ! Tout le hangar reste muet de surprise. L'araignée, quasi assommée, les pattes en l'air, n'en revient pas. Le vieux fauteuil tombe à la renverse. La lampe échappe son abat-jour.

Mais la plus surprise, c'est Émilie. « Je dois avoir rêvé, se dit-elle en essayant de se convaincre. Les baignoires ne peuvent pas bouger, voyons. » Tous les objets la regardent. Ils attendent. « Peut-être que c'est vrai », se dit Émilie tout bas.

Elle essaie doucement de remuer une patte…

—Je bouge ! Je bouge ! s'écrie-t-elle tout excitée.

Elle gigote et se trémousse de toutes les pattes, de tous les côtés. Elle avance, recule, piétine.

— Je marche ! Je marche !

Tout près mais bien cachée, une petite chose a tout vu et scrute la scène de ses petits yeux brillants. C'est Pipette, la souris grise du hangar. Elle n'aime pas ce dinosaure de porcelaine. Elle est un peu inquiète aussi. Est-ce dangereux pour une souris ? se dit-elle en se levant sur ses deux petites pattes.

Émilie n'arrête pas de bouger et n'arrive pas encore à croire à ce qui lui arrive.

— Pour une fois que je peux, je ne vais pas m'en priver !

Et pourtant, ce n'est pas facile de marcher. Enfin… d'apprendre à marcher ! Surtout à son âge. Elle fait quelques pas, mais le hangar est si petit. Elle veut reculer et s'accroche dans une pile de boîtes

de carton qui dégringolent. Boum!
Boum! Boum! font-elles en tom-
bant.

L'une d'elles échoue dans la baignoire. Émilie essaie de l'expulser.
La boîte ballotte dans tous les sens
mais, rien à faire, elle reste prise au
fond de la baignoire profonde et
glissante.

Pipette la souris a moins peur.
Elle voit bien que l'étrangère n'est
pas dangereuse. Au contraire, elle
semble avoir besoin d'aide. La souris décide d'aller à son secours.
Dents, griffes et queue, tout le
petit corps travaille fort pour sortir
la boîte. La baignoire, encouragée,
se penche de tous côtés et enfin, ça
y est. Pipette et Émilie ont gagné
et s'adressent un grand sourire.
Une boîte de carton en a fait deux
amies.

À la fin de cette journée remplie
d'émotions, Émilie est si énervée

qu'elle n'arrive pas à s'endormir. Et puis, c'est la première fois qu'elle ne dort pas chez elle. Dans la noirceur, les objets du hangar ont l'air d'ennemis. Heureusement, Pipette est là et cela la rassure.

Quand elle s'endort enfin, Émilie rêve que les gens de la maison ont besoin d'elle. Ils viennent la chercher en la suppliant de revenir. Elle retourne alors à la salle de bains en marchant toute seule et les maîtres sont émerveillés de ce prodige.

Émilie s'installe à nouveau dans la salle de bains et grâce à elle, les gens de la maison recommencent à être bien lavés et bien propres et ils sentent bon. Émilie la baignoire à pattes redevient heureuse et les maîtres sont fiers de posséder une baignoire comme elle.

CHAPITRE
QUATRE

Le lendemain matin, Émilie est dépaysée de se réveiller dans le hangar. Il lui faut quelques minutes pour se souvenir de son aventure. Mais elle retrouve vite sa forme. Fièrement campée sur ses quatre pattes, le cœur battant très fort, elle se prépare à retourner dans la maison.

— Pas tout de suite, suggère Pipette. Il vaut mieux attendre le milieu de l'avant-midi ; ce sera plus calme dehors.

Le moment venu, la souris passe son museau par un trou dans la porte. Elle regarde à droite et à gauche pour s'assurer que le chemin est libre et qu'il n'y a personne dehors.

Émilie et Pipette poussent la porte mal fermée et sortent au grand air.

—Comme c'est beau dehors! s'exclame Émilie. La fenêtre de la salle de bains était trop haute: je ne voyais que le ciel.

Maintenant elle regarde de tous ses yeux les arbres aux belles feuilles vertes, les oiseaux aux plumes douces, les fleurs aux pétales fragiles, les maisons, les pelouses. Elle prend une profonde respiration pour se remplir les robinets d'air pur; si profonde, en fait, qu'elle en est tout étourdie.

—Dépêche-toi, souffle Pipette. On n'a pas de temps à perdre.

La baignoire avance lentement, un peu craintive d'avoir à marcher jusqu'à la maison. Ça semble si loin quand on vient d'apprendre à marcher.

Pipette, qui a fait l'aller-retour quatre fois pendant ce temps, commence à s'impatienter.

—Viens, Émilie, viens.

La souris se fige brusquement.

—Attention! crie-t-elle. Sauve-toi! Vite!

Courant de toutes ses forces, Pipette disparaît dans l'une de ses cachettes.

—Mais qu'est-ce qui lui prend? s'étonne Émilie. Où est-elle passée? Oh! s'exclame-t-elle. Qu'ils sont jolis!

Devant la baignoire, trois chatons s'amusent, se roulent, se mordillent et sautillent. La chatte tigrée accourt et fait le dos rond en sortant ses griffes pour défendre ses petits contre cet animal étrange.

Mais les chatons curieux gambadent autour de la baignoire et essaient d'y grimper. La chatte s'approche et la renifle de partout. Finalement, elle en conclut qu'il n'y a pas de danger pour ses petits.

Alors elle les prend par la peau du cou, un à un, et les fait glisser dans la baignoire lisse. Les chatons poussent de petits cris de surprise puis ils s'amusent de ces glissades inattendues. Mais ils restent pris au fond de la baignoire ; les parois sont trop lisses et leurs petites griffes ne les aident en rien. En constatant qu'ils ne peuvent pas remonter tout seuls, les chatons miaulent plaintivement.

D'un bond, la chatte saute sur les robinets et, en s'étirant, elle reprend ses chatons et les fait glisser de nouveau.

Cachée derrière une roche, Pipette surveille, prête à défendre Émilie. Elle ressent une grande déception, aussi. Les chats sont les ennemis de la souris. Comment la baignoire ose-t-elle jouer avec eux s'ils sont ses ennemis ? N'est-elle pas son amie ?

Ignorant ce dilemme, Émilie s'amuse avec les chatons. Elle cause aussi avec la chatte qui est curieuse de savoir ce qu'une baignoire fait dehors.

— Euh… je suis en promenade seulement, répond Émilie, mal à l'aise d'avouer qu'elle a été rejetée. Je retourne à la salle de bains mais, en fait, je suis un peu égarée, avoue-t-elle.

— Ah, il me semblait bien vous connaître, se rappelle la chatte. Je vais vous guider, dit-elle en relevant fièrement la tête. Suivez-moi, je connais toutes les entrées de la maison.

Elle enlève un à un les chatons de la baignoire et, sans bruit, elle saute sur le sol. Le convoi se met en marche. D'abord la chatte tigrée, toute fière de son importance. Ensuite, les chatons excités de ce nouveau jeu de parade. Et enfin la baignoire, un peu insouciante depuis qu'elle a trouvé de l'aide. Pipette ferme la marche… de loin, sans abandonner son amie.

Près de la maison, la chatte est tout à coup attirée par un oiseau. Elle quitte aussitôt Émilie, sans même l'en avertir.

La baignoire aurait bien aimé que la chatte l'accompagne dans la maison. Elle soupire. Tant pis, elle continuera toute seule.

Devant elle, un escalier de quelques marches lui barre la route. Vues d'en bas, les marches semblent une montagne.

Pipette surgit et l'encourage. La baignoire lève une patte et atteint tout juste la marche.

—L'autre patte maintenant, Émilie. Allez, un effort, l'encourage Pipette qui, du haut des marches, surveille le tout.

Émilie fait un faux pas, perd pied. Elle tombe sur le côté et, du coup, elle écrase une plate-bande de pétunias qui s'évanouissent de peur.

Affolée, Pipette houspille Émilie, la pousse de ses petites pattes, court à droite et à gauche. La baignoire réussit à se replacer et recommence à monter l'escalier.

Pipette aperçoit alors les pétunias évanouis. Elle les relève gentiment un à un, souffle dessus pour les ranimer, défroisse leurs pétales. Pendant ce temps, Émilie continue son escapade.

— Aïe! Aïe! crient les marches qui craquent sous le poids de la baignoire. Qu'est-ce que c'est ça? Un éléphant? Un dinosaure? Aïe! Ouch! Ôtez-vous de là!

Émilie a déjà tant de problèmes à grimper le perron qu'elle n'a pas le temps de s'occuper des marches.

— Excusez-moi, dit-elle, mais il faut bien que je monte.

Après plusieurs essais difficiles, tout en sueur, elle arrive enfin sur le perron. «Ouf! C'est amusant de marcher, pense-t-elle, essoufflée, mais ce n'est pas facile.»

La voilà devant la porte d'entrée. La porte lui semble une forteresse avec sa serrure en métal et sa poignée solide. «Jamais je ne pourrai entrer», se décourage-t-elle. Et puis, même si elle réussissait à entrer, que trouverait-elle à l'intérieur? Où se diriger? Où est la salle de bains? Et, surtout, comment se rendre jusqu'à la salle de bains sans attirer l'attention ? Peut-être vaut-il mieux tout abandonner et retourner au hangar ?

Heureusement la fée Porcelaine n'a pas abandonné sa protégée et elle vient voir où Émilie en est.

— Courage, Émilie, courage ! souffle-t-elle.

CHAPITRE
CINQ

Sur le perron, devant la porte d'entrée qui lui fait si peur, Émilie surmonte son émotion. Elle se hisse sur la pointe des pieds pour regarder par le trou de la serrure, mais ses pattes sont trop courtes : elle ne voit rien.

La porte est-elle verrouillée ? Pour le savoir, elle n'a qu'une chose à faire : la pousser, ce qu'elle essaie tout doucement.

— Crouch… ch… ch… gémit la porte qui, par chance, s'entrouvre.

—Chut! Chut… lui murmure Émilie. Ne fais pas de bruit.

Elle avance dans le portique et examine la petite pièce.

—Peut-être que je serais bien ici… murmure-t-elle.

Elle bouscule le portemanteau sans le vouloir et se gare majestueusement mais avec fracas. Le portemanteau s'étire d'indignation : une baignoire dans un portique, quelle horreur! Le porte-parapluies se retourne dans le coin pour ne pas voir une voisine aussi… aussi grosse!

—Peuh! fait-il avec dédain.

Le paillasson, lui, proteste. La baignoire a deux de ses pattes dessus.

—Pousse-toi un peu, gronde-t-il. Tu m'écrases.

—Hum! fait Émilie. Vous n'êtes pas très aimables. De toute façon, je ne faisais que me reposer un instant. Je cherche la salle de bains.

En se retournant, elle se trouve tout à coup devant… une autre Émilie.

— Mais c'est moi ! s'étonne-t-elle.

Face au grand miroir, la baignoire se voit des pieds à la tête pour la première fois de sa vie.

— Ouais… soupire-t-elle, je ne pensais pas que j'étais si grosse et si encombrante.

— Mais si tu étais mince et légère, tu ne serais pas une baignoire, lui chuchote la fée Porcelaine.

— C'est vrai, admet Émilie tout en se tournant un peu pour se voir de tous côtés. Au fond, je ne suis pas si mal. Et puis, j'ai des pattes pour marcher, moi.

Rassurée, la voilà qui repart, au grand soulagement du portemanteau, du porte-parapluies et du paillasson qui se hâtent d'effacer ce mauvais souvenir de leur vie sans histoire.

Après le portique, il y a un corridor et beaucoup de portes. « C'est embêtant, réfléchit Émilie. Les portes se ressemblent toutes. Quelle est la bonne ? »

Un peu maladroite, elle pousse une porte et entre dans une pièce.

— Oh ! Ah ! Hi ! hi !

Un tapis épais et à longs poils lui chatouille le ventre.

— Ah ! Hi ! hi ! Oh !

Émilie sautille et se tord de rire de se faire chatouiller. Tout à coup, elle aperçoit les portraits des grands-parents accrochés au mur. Eux aussi l'ont vue. Des grands-parents ou de la baignoire, il est difficile de savoir qui est le plus surpris.

La vieille dame du portrait murmure de sa petite voix :

— Tu as vu, Oscar ? Maintenant les baignoires marchent.

— Hé oui, répond le vieux monsieur à moustaches. Je savais que le monde avait changé mais pas à ce point...

Les deux aïeuls reprennent la pose, soulagés d'être du passé.

Émilie regarde de tous côtés. Près d'elle, un fauteuil moelleux tremble de peur que la baignoire ne s'y laisse choir.

— Je serais complètement écrasé, murmure-t-il avec terreur.

Heureusement, la passante ne songe qu'à sortir de la pièce pour retrouver la salle de bains.

Dans le corridor, elle rencontre tout à coup la chatte. Quelle joie de revoir une amie au milieu de ce monde étranger. Mais la chatte indépendante détourne lentement la tête et continue sa route, comme si elle n'avait jamais vu la baignoire de sa vie. Comme Émilie est déçue, elle qui avait confiance en cette nouvelle amie.

Des pas! Le cœur d'Émilie se met à battre si fort qu'elle croit qu'il peut être entendu dans toute la maison. Vite un abri! Là, à gauche, une porte. Vite! Vite! Elle se cache dans le lieu obscur. Un cri étouffé sort de ses tuyaux; il fait noir et des choses la touchent de partout.

—Sors de là! Sors de là! lui crie-t-on de toutes parts en lui donnant des coups de chiffon. Tu prends toute la place!

Émilie sort au plus vite de la garde-robe au grand soulagement de chacun. Les robes secouent leurs jupes, les pantalons allongent leurs jambes. Une robe longue pleurniche parce que son bord a été piétiné. Un long foulard de soie blanche s'époussette avec sa frange. Les souliers se cherchent et s'enlacent deux à deux.

Le danger est passé. Ouf! Chacun reprend sa position, bien rangé, discipliné, silencieux, digne.

Revenue dans le corridor, Émilie reprend son souffle. Mais elle est découragée. Où aller? Elle commence à se demander si elle ne s'est pas trompée de maison.

Encore une porte. Cette fois Émilie longe le mur et regarde prudemment sans entrer. Non, une chambre. Rien à faire là.

Bientôt, du fond de son cœur, elle sent qu'elle arrive, qu'elle est enfin tout près du but. Elle se hâte vers une porte à sa gauche et... la voilà! La salle de bains! Émilie est enfin rendue!

—Quoi? Qu'est-ce que c'est? Mais ce n'est pas possible!

Elle pensait reprendre sa place, tout simplement. Elle était certaine que les maîtres devaient être en peine de ne plus avoir de baignoire. Jamais elle n'aurait pensé que… qu'ils en avaient acheté… une autre ! Mais une autre baignoire est bien là, encastrée, étincelante dans son émail tout neuf, les robinets luisants.

— Et moi, alors ? s'écrie Émilie. C'est ma place, c'est MA salle de bains ! Va-t'en !

La nouvelle ne comprend rien à ce que l'autre raconte. On l'a achetée, on l'a placée ici. C'est tout.

— Quand je suis arrivée ici, il n'y avait personne, lui réplique-t-elle. Qu'est-ce que vous avez à crier si fort ?

— Mais tu es à MA place ! Qu'est-ce qu'on va faire de moi si je ne suis pas une vraie baignoire, dans une vraie salle de bains ?

Émilie est bouleversée. Elle ne veut pas admettre qu'elle n'a plus sa place ici.

— Va-t'en! crie-t-elle. Va-t'en!

De ses pattes de devant, Émilie, avec la force de la colère, essaie de déloger la jeune baignoire qui commence à se demander sérieusement si l'autre est folle et dans quelle sorte de maison elle a bien pu arriver.

— Sors d'ici! Va-t'en! C'est ma place! Va-t'en! insiste Émilie, désemparée.

En entendant tous ces cris, la maisonnée accourt pour voir ce qui se passe.

— Ça alors, comment est-elle revenue? s'exclame le maître.

Émilie est saisie de toutes parts et péniblement, on la reporte au hangar. Péniblement, en effet, parce qu'elle boude et qu'elle fait exprès d'être encore plus pesante. C'est lourd, très lourd, une baignoire et les maîtres ont besoin de toutes leurs forces pour la transporter, et ils sont vite essoufflés.

Cette fois, les gens verrouillent la porte du hangar : on ne sait jamais. Il vaut mieux prendre des précautions avec cette étrange baignoire.

Dans le hangar redevenu silencieux après leur départ, les vieux objets observent Émilie avec compassion. Certains d'entre eux voudraient bien retourner dans la maison, mais ils ne marchent pas, eux.

La vieille lampe tourne son abat-jour pour mieux voir ce qui se passe. La malle démodée, un peu snob d'avoir beaucoup voyagé, commence à faire la leçon à Émilie et à lui donner des conseils.

— Si j'étais à votre place, ma chère, je…

Clac! Émilie lui ferme le cou-vercle d'un coup de patte; elle ne veut pas de ses conseils prétentieux.

Dans le hangar sombre, Émilie réfléchit longtemps. Une baignoire dans un portique, ce n'est pas une bonne idée. Deux baignoires dans une salle de bains, ce n'est pas pos-sible. Et puis, elle n'aimerait pas la nouvelle. Elle se sentirait bien trop vieille à côté d'elle.

Pipette la souris réfléchit très fort elle aussi. Et quand on est une petite souris, on a vite fait le tour de sa petite tête.

—J'ai trouvé! s'écrie-t-elle, toute joyeuse. La cuisine! Il faut aller dans la cuisine! J'y allais autrefois avant que les chats n'arri-vent dans la maison. Je te condui-rai si tu veux.

Émilie ne prend pas le temps de se demander si c'est une bonne

idée ; en avoir une lui paraît suffi-
sant. Les deux complices décident
de mettre leur plan à exécution à la
nuit tombée pour ne pas être vues.
Demain matin, quand les maîtres
verront Émilie installée paisible-
ment dans la cuisine, ils la repren-
dront certainement.

CHAPITRE
SIX

À la nuit tombée, Pipette se faufile par le trou d'un mur du hangar. Émilie essaie de pousser la porte : rien à faire. Elle avait oublié que les maîtres avaient verrouillé le hangar. C'est plus compliqué. Tant pis ! Quand on est une baignoire décidée, on fonce !

Émilie se recule pour mieux sauter et se rue sur la porte. Aïe ! Elle s'accroche, pirouette, fonce sur la porte et bascule avec elle. Plof ! La voilà par terre, les quatre pattes en l'air.

Pauvre Émilie. Ce soir, ça va mal ! Il pleut à verse et de gros coups de tonnerre éclatent à tous moments. Heureusement, car l'orage a couvert le vacarme qu'elle vient de faire. Mais la porte est tombée dans la vase et la baignoire est éclaboussée, couchée sur le ventre, ses quatre petites pattes gigotent en l'air. Elle a beau se tortiller, se trémousser, elle n'arrive pas à se remettre sur ses pattes.

Pipette la harcèle de tous côtés en pataugeant dans la boue.

— Oh hisse ! Oh hisse ! répète-t-elle en poussant sur la baignoire.

Rien à faire. La souris se démène, pousse, fait le tour de la baignoire, les moustaches toutes mouillées.

— Je ne suis pas assez forte, soupire-t-elle. Il faudrait une grosse bête. Attends ! J'ai une idée ! s'écrie-t-elle.

Et elle disparaît au milieu des éclairs. La pluie tombe de plus en plus. Émilie frissonne sous l'orage.

Pipette revient finalement avec Lourdaud, le chien saint-bernard. Il est mécontent de sortir de sa niche au beau milieu de l'orage. Mais il est encore plus curieux de connaître cette étrange chose qui bouleverse la vie tranquille du hangar.

Émilie est humiliée de se trouver dans une position aussi ridicule devant un étranger. Mais le chien a des yeux bons et gentils et elle reprend confiance.

Lourdaud regarde la baignoire, la porte défoncée, la souris trempée. Il hoche sa grosse tête en se demandant quoi faire pour réparer les dégâts.

—Il faut l'aider à se remettre sur ses pieds, explique Pipette.

Lourdaud s'approche et pousse la baignoire avec sa grosse tête. Rien ne bouge. Il s'arc-boute et essaie encore : la baignoire bouge à peine. Alors le gros saint-bernard se place tout du long de la baignoire et, de toute sa force, il pousse, il pousse, il pousse.

—Encore ! Plus fort ! l'encourage la souris qui dirige les opérations en pataugeant dans la boue.

La baignoire bouge enfin et hop ! elle se remet sur ses pieds d'un coup… en éclaboussant complètement Lourdaud ! Le chien placide lui lance un long regard à travers ses cils ruisselants de pluie. Son pelage beige, tout mouillé et boueux, vire au gris sombre.

—Oh, excusez-moi ! dit Émilie, morte de honte. Je suis désolée. Vous êtes si bon pour moi et moi, je vous éclabousse…

—Ça va, ça va, grommelle le saint-bernard.

Émilie lui fait un timide sourire mouillé de larmes. Mais Pipette commence à en avoir assez de se faire pleuvoir sur la tête.

—Viens, Émilie. Ne restons pas là. Merci de ton aide, Lourdaud.

Courageusement, Émilie se dirige vers la maison. La baignoire ne craint pas l'eau tiède et savonneuse: elle en a tant vu dans sa vie. Mais toute cette pluie qui tombe, et qui la remplit, et qui ballotte à chacun de ses pas, c'est beaucoup moins drôle.

Plus la pluie tombe, plus la baignoire se remplit et plus elle enfonce dans la boue. Déjà basse sur ses pattes, elle s'embourbe à chaque pas; elle a l'impression de se noyer.

Lourdaud, la langue pendante, regarde la baignoire et la souris cheminer péniblement sous l'orage. Peut-être vont-elles encore avoir besoin de lui. Alors, il vaut mieux rester là et attendre. « C'est moins fatigant que de revenir », pense le saint-bernard qui n'aime pas se déranger souvent ni se presser.

Pas à pas, Émilie et Pipette se sont rendues à la maison. En laissant de grosses flaques de boue derrière elle, Émilie entre dans la cuisine.

Ça, Lourdaud ne l'admet pas. Qu'on le fasse sortir à la pluie : ça va ! Qu'il aide la baignoire à se remettre sur ses pieds : c'est naturel ! Mais qu'elle, bien plus grosse que lui, il faut bien le dire, maugrée Lourdaud, entre dans la maison, ruisselante de boue, dans la maison où lui, le chien fidèle, n'a jamais eu la permission d'entrer : ça, c'est très difficile à accepter. Le gros chien paisible, assis sur ses pattes de derrière, la langue pendante, n'arrive pas à comprendre; ça lui fait même beaucoup de peine. Il branle doucement sa grosse tête et retourne lentement dans sa niche, tout dégoulinant.

Dans la maison, Émilie se cherche une place. Elle ne veut pas déranger mais, alourdie par la boue, gênée par l'obscurité et à moitié pleine d'eau, elle gâche tout. Elle se cogne sur une chaise, éclabousse la cuisinière électrique qui fait aussitôt retentir toutes ses sonneries pour exprimer sa colère.

— Dringgggggggg…..

Nerveuse, stressée, Émilie se hâte, se coince entre la table et le réfrigérateur qui se met à ronronner bruyamment. Au bord de la panique, Émilie fait un pas de plus, renverse une étagère, écrase la queue du vieux chat gris. Complètement affolée, elle fond en larmes, inondant la cuisine.

Les maîtres de la maison, brusquement réveillés par tout ce
tapage, se lèvent en criant :

— Mais qu'est-ce que c'est ça ?

— Qu'est-ce qui se passe ?

On accourt en pyjama et on
essaie en vain de découvrir d'où
vient le vacarme. Quand les
maîtres arrivent enfin dans la cuisine, ils sursautent en mettant les
pieds dans l'eau. Ils sont si fâchés
qu'ils crient encore plus fort que la
cuisinière, le réfrigérateur et la baignoire ensemble.

— Assez ! hurle le maître.

Le silence tombe dans la maison,
seulement troublé par Émilie qui
n'arrête pas de renifler. Les gens
regardent la baignoire, évaluent les
dégâts sans dire un mot. Puis ils
épongent l'eau sur le plancher et
retournent se coucher, leurs pyja-
mas tout mouillés. Sans un mot !

Cette fois, Émilie le sent bien :

elle est allée trop loin. Les choses vont mal, très mal. Dehors, loin des chats, Pipette se désole pour son amie.

CHAPITRE
SEPT

Le lendemain matin, Émilie est déposée sans précaution sur la pelouse, près du trottoir, à côté du bac de récupération.

Dans le silence, le soleil réconfortant caresse la baignoire de ses rayons chauds. Et tout doucement, Émilie, qui était si désespérée la veille, réalise qu'elle est bien vivante, peut-être pour la première fois de sa vie.

Isolée au fond de la salle de bains, avec la même petite vie tranquille pendant des années, Émilie n'avait jamais senti la chaleur du soleil, ni goûté la douceur de l'herbe, ni admiré les fleurs dans la brise. Émerveillée, elle commence à vivre après avoir cru que tout était fini. Et dans son corps de porcelaine frémit un grand désir de vivre, d'être heureuse, de ne plus avoir peur. C'est comme dans un rêve.

— Je n'avais jamais pensé que la vie pouvait être si belle, murmure-t-elle.

Tout près d'elle, une marguerite ondule lentement sur sa longue tige et lui donne un baiser. L'herbe se couche tendrement pour lui faire un tapis doux. Une silhouette arrive à toute vitesse : c'est Pipette.

— Émilie ! Émilie ! se réjouit-elle de la retrouver saine et sauve. Ça va bien ?

La souris essaie de faire réagir Émilie qui somnole après toutes ces émotions.

—Il faut s'en aller, lui dit-elle. Il faut te sauver avant qu'ils ne reviennent te chasser encore.

Émilie écoute à peine et rêvasse. Elle regarde flotter les nuages. Elle se sent bien.

—Attention, Émilie, supplie Pipette en essayant de la raisonner. Quelqu'un vient. Sauvons-nous, Émilie! J'ai peur! dit la souris qui tremble sur ses petites pattes et se faufile sous la baignoire pour se cacher.

Mais Émilie ne s'énerve pas parce qu'elle ne craint pas les gens qui s'approchent. Ce sont deux enfants. Et les enfants aiment bien les baignoires (du moins tant qu'il ne faut pas se laver...). Les enfants sont surpris de rencontrer une baignoire sur la pelouse.

—Qu'est-ce qu'elle fait ici? dit la fillette en la contournant avec curiosité.

—Peut-être que les personnes qui l'ont apportée sont tout près d'ici, répond le petit garçon.

Ils cherchent aux alentours. Personne. Ils passent ici tous les jours et ils sont bien certains qu'elle n'était pas là hier.

—Tu crois qu'elle sera ramassée par les éboueurs? réfléchit le garçon à haute voix.

Les éboueurs? Hum… Émilie n'est pas très flattée.

—Ce n'est pas tout à fait ça, répond-elle. Disons que… que je n'ai plus de place dans la salle de bains.

Les enfants sont encore plus étonnés de l'entendre parler. Intrigués, ils veulent connaître ses aventures.

—C'est triste, compatit la petite fille. Il devrait y avoir des maisons de repos pour les vieilles choses comme pour les vieilles personnes.

—Je ne veux pas me reposer, proteste Émilie. Je veux être utile et continuer à rendre les gens bien propres.

Les enfants voudraient bien aider Émilie mais comment ? Ils se creusent les méninges mais rien ne vient à leur esprit.

—Tu connais une maison qui n'a pas de baignoire ? demande la fillette.

—Toutes les maisons en ont, affirme le garçonnet. J'ai trouvé ! s'écrie-t-il. Nous allons amener Émilie dans une pension pour vieux meubles : un magasin d'antiquités.

Émilie ne comprend pas tout à fait ce que c'est. Mais, mal prise comme elle est, elle choisit de faire confiance aux enfants.

Pipette a un peu de chagrin de voir partir son amie ; elle trouvait bien amusant de vivre toutes ces aventures. Elle se risque à sortir de sa cachette pour lui faire ses adieux.

— Bonne chance, Émilie. Tu me manqueras, lui dit-elle tout bas, les larmes aux yeux.

— Toi aussi, Pipette, avoue Émilie qui, en quelques jours, s'est attachée à la petite souris si gentille. Merci beaucoup de ton aide. Bonne chance à toi aussi.

Pipette donne un baiser à Émilie et elle la regarde partir avec les enfants.

— Heureusement que tu marches. Tu es beaucoup trop lourde pour nous, lui murmure la fille.

— Oui, ajoute le petit garçon. Peut-être que l'antiquaire te trouvera plus facilement une maison puisque tu sais marcher.

Ils trottinent tous les trois sans se presser. Émilie regarde de tous ses yeux. Sa maison (enfin, son ancienne maison) est dans la ville, mais Émilie n'a jamais rien vu d'autre que la salle de bains.

—Il y en a des choses dans une ville, dit-elle émerveillée.

Elle traîne un peu, curieuse, et veut tout voir : les arbres, les passants, les maisons, les monuments, les voitures. Les piétons sont très surpris de croiser une baignoire qui marche et ils oublient parfois de traverser la rue au feu vert. Le trio continue sans se laisser distraire.

—Voilà le métro, s'exclame le garçonnet.

—Qu'est-ce que c'est, un métro ? demande Émilie, intriguée.

—C'est comme un train mais sous la terre, explique la fillette.

Émilie n'est pas plus avancée : elle ne sait pas ce que c'est, un train.

—C'est une façon de voyager, précise la fillette qui devine que leur amie ne comprend pas.

Plus ils approchent de la station de métro, plus il y a du monde et plus les gens marchent vite. La vieille baignoire est un peu étourdie. Elle commence à se demander si elle n'était pas plus tranquille dans sa salle de bains.

Les enfants lui ouvrent la porte et la baignoire passe tout juste. Elle n'est pas sitôt entrée qu'elle frissonne sous un courant d'air, se fait bousculer par les gens pressés.

— Qu'est-ce que je fais ici ? se demande-t-elle avec crainte, assourdie par le bruit autour d'elle.

Au guichet, les enfants demandent au contrôleur s'il y a un tarif pour une baignoire.

— Une baignoire ? répond-il en riant. C'est le même tarif que pour les éléphants et les dinosaures.

Et il éclate de rire. Les enfants n'insistent pas. Tant pis ! Émilie passera sans billet. Mais la baignoire est trop large pour franchir les tourniquets et sans billet, c'est impossible. Derrière eux, les gens s'impatientent.

— Qu'est-ce qui se passe ? Mais dépêchez-vous en avant ! bougonnent-ils. Vous avancez oui ou non ?

Les enfants font ce qu'ils peuvent, mais ils n'y arrivent pas. Dans la foule, des étudiants veulent savoir ce qui se passe.

— Hé, mais c'est une baignoire ! s'exclame l'un d'eux, de bonne humeur. Allons-y, tous ensemble, un coup de main pour la baignoire. Allez… hop !

Soulevée de tous côtés par des dizaines de bras vigoureux, elle passe au-dessus des tourniquets avant d'avoir eu le temps de dire ouf ! Les étudiants la retiennent ensuite dans l'escalier mobile pour l'empêcher de débouler. Puis ils la déposent avec soulagement sur le quai, les bras endoloris. Ils sont quand même amusés de cette aventure et contents d'en avoir profité pour entrer sans payer.

Un bruit sourd se fait entendre et s'amplifie : c'est la rame du métro qui sort du tunnel. Émilie frissonne sous le courant d'air. Les portes des wagons s'ouvrent, les gens sortent et, sur le quai, d'autres personnes les bousculent pour entrer. Quelques personnes aident Émilie à entrer à son tour, mais ses petites pattes n'avancent pas vite. Émilie prend toute la place, les gens la poussent, la bousculent et clac ! les portes se referment sur la baignoire, moitié dans le wagon, moitié sur le quai.

— Libérez les portes ! Libérez les portes ! ordonne le conducteur.

Les enfants tirent fort sur Émilie pour la faire entrer. Des gens du wagon la poussent, d'autres la tirent. Les portes s'ouvrent et se referment.

—Libérez les portes! Libérez les portes! répète le conducteur.

Il se penche à la portière pour découvrir ce qui se passe.

—Mais qu'est-ce que c'est ça? se dit-il.

Sur le quai, des gens attroupés poussent, tirent, s'amusent, grognent. Dans le wagon, c'est la même chose: des gens poussent Émilie, d'autres la tirent. Finalement le conducteur, les enfants et les gens du wagon réussissent à pousser la baignoire à l'intérieur, malgré les protestations des personnes qui doivent se tasser: la baignoire prend toute la place.

Le conducteur retourne à sa cabine, les portes se referment enfin; le métro démarre. Les gens pressés scrutent leur montre avec mauvaise humeur; ils ont perdu deux grosses minutes...

Dans le wagon, Émilie essaie de se faire toute petite pour prendre moins de place, mais pour une baignoire, c'est un peu difficile ! Les gens s'unissent pour la hisser debout, mais elle glisse. Ils la rattrapent vivement et la remettent debout en l'appuyant contre le mur.

Premier arrêt : Émilie glisse un peu, mais tout va bien. Deuxième arrêt : Émilie glisse un peu plus. Les secousses du métro continuent à la faire glisser et au troisième arrêt : patatras ! Elle glisse complètement et se retrouve sur ses quatre pattes. Tout le monde tombe dedans comme des pommes dans un panier.

— Au secours !
— Aïe !
— Ouch !
— Ôtez-vous de là !
— À l'aide !

Dans le wagon, c'est le fouillis. Des enfants s'amusent de la bousculade. Une dame a perdu son chapeau. Les hommes ont la cravate de travers. Le conducteur, impatienté, fait sortir la baignoire sur le quai.

—Écoutez, madame la baignoire, vous retardez tout le monde. Il n'y a pas de place pour vous dans un métro! ajoute-t-il en fronçant les sourcils.

Les enfants se hâtent de sortir aussi pour ne pas abandonner Émilie. Ils restent tous trois sur le quai, penauds, et regardent le métro repartir sans eux.

CHAPITRE
HUIT

Un agent de sécurité du métro offre son aide.

Au poste de contrôle, il feuillette l'annuaire téléphonique puis il compose un numéro. À travers la vitre, les enfants le voient qui explique, gesticule, hoche la tête, explique encore. Il raccroche et secoue la tête, déçu. Il essaie avec un autre numéro. Puis un troisième. Enfin, il sourit.

Avec l'aide du gardien et des enfants, Émilie reprend les escaliers mobiles et elle sort de la station de métro.

Après un bon moment, une camionnette bleue arrive et un homme se dirige vers Émilie.

—Alors, on se promène en métro? lui dit-il en souriant.

Les enfants expliquent comment ils ont trouvé Émilie et lui demandent de lui trouver une autre maison.

—Je vais essayer, promet-il en ouvrant les portes arrière de sa camionnette.

Puis il installe une rampe d'accès sur laquelle Émilie monte lentement. Restés sur le trottoir, les enfants lui disent au revoir et lui souhaitent bonne chance.

Pendant que la camionnette s'éloigne, Émilie réalise qu'elle s'est fait plus d'amis en quelques jours que durant toute sa vie dans la maison.

À son entrée dans le magasin d'antiquités, une clochette tinte joyeusement, comme pour lui souhaiter la bienvenue. Émilie regarde, curieuse et intimidée.

— Il y en a des choses, ici, murmure-t-elle, émerveillée.

Des chaises, des lustres, des bibelots, des vases, un phonographe, une nappe de dentelle et plein d'autres choses.

— Comme chez moi autrefois, rêve-t-elle, se souvenant de son entrée dans la maison, alors qu'elle était une jeune baignoire pimpante. Dans mon ancienne maison, il y avait des meubles tout pareils à ceux-ci.

Elle rêvasse sur son passé en poussant de gros soupirs sans s'en rendre compte.

— Mais, s'écrie-t-elle tout à coup, si ce sont des meubles d'autrefois, ils sont aussi vieux que moi ! Nous sommes du même âge !

Ses maîtres la trouvaient vieille ? Hé bien, ici on l'apprécie justement à cause de son âge. Pour un peu, Émilie se serait vieillie davantage. Elle se sent vraiment à sa place ici.

Ce n'est toutefois pas l'avis d'un vase précieux qui trouve franchement ri-di-cu-le qu'une… chose pareille… soit admise dans la même boutique que lui.

Auguste l'antiquaire amène Émilie dans la vitrine, avec les objets nouvellement arrivés. Pour ne pas perdre d'espace, il la remplit d'objets. Un tabouret sculpté qui se sent en insécurité sur ce sol glissant. Une jardinière en osier qui s'ennuie de ses plantes vertes. Un vieux tapis de Turquie, usé à certains endroits, que l'antiquaire étend sur le rebord de la baignoire.

Après un long moment, le tapis hasarde quelques mots.

—Hum… Hum… Vous êtes ici depuis longtemps, madame ?

Émilie se rengorge.

—On non, monsieur. Depuis quelques heures seulement. Et vous ?

Le vieux tapis et la vieille baignoire, tout heureux de trouver un camarade, se racontent leur vie, les aventures qu'ils ont vécues.

D'un jour à l'autre, une routine s'installe.

—Ah, enfin la belle vie, découvre Émilie. Ne rien faire. Me reposer toute la journée, me laisser admirer…

Le matin, Auguste époussette les objets, du moins ceux qu'il peut atteindre : il y en a tellement ! La baignoire et le tapis ne sont pas dérangés par l'époussetage et ils placotent tout à leur aise.

Les clients arrivent et font tinter la clochette de la porte en entrant, flânent, regardent partout, repartent. Un meuble est vendu, un autre arrive.

—Comme c'est intéressant! Il y a des choses nouvelles tous les jours.

Elle se félicite d'être arrivée dans cette boutique, reconnaissant que c'est son refus de rester dans le hangar qui l'y a conduite. Elle n'oublie pas Pipette pour autant, ni Lourdaud, ni les enfants qui l'ont aidée dans ses déboires. Et elle s'ennuie d'eux tous, parfois.

Mais les choses se gâtent peu à peu. Dans la vitrine, la vie devient insupportable. Le jour, le soleil plombe à travers la vitrine et la baignoire crève de chaleur. La nuit, elle est glacée de froid.

Et puis, le plus gênant, finit-elle par admettre, ce sont les passants qui la dévisagent. Au début, elle était flattée de cette attention.

Mais maintenant, elle se sent espionnée! Passer de l'intimité de la salle de bains à la vie publique d'une vitrine, c'est tout un choc!

Et surtout, il n'y a pas moyen de bouger. Émilie a bien essayé, mais elle a fait tomber un vase Ming qui s'est brisé en mille morceaux. Auguste était très mécontent et il a failli accuser un client à tort. La baignoire n'ose plus faire un pas et trouve les journées de plus en plus ennuyeuses.

Un après-midi où Émilie est triste, un homme en salopette, costaud et fort, s'approche d'elle, en fait le tour attentivement, la frappe du bout de ses clés, essaie de la soulever. Impossible! Elle est trop lourde.

— Parfait, dit-il en se frottant les mains. C'est exactement ce que je recherche. Je l'achète.

« Je suis achetée ? Moi ? » s'étonne Émilie. Elle est si surprise qu'elle n'arrive pas à le croire. Toute ragaillardie, surexcitée, elle se hâte de dire au revoir à ses compagnes et compagnons de la boutique.

L'antiquaire et le client marchandent cependant sur le prix. Auguste finit par céder et il prépare la facture.

— Que voulez-vous faire de la baignoire ? demande-t-il, curieux.

— Je suis fondeur, répond le client. Une vieille baignoire est faite de fer. Il n'y a qu'une mince couche de porcelaine dessus. Je vais la faire fondre pour récupérer le fer. C'est un bon achat, cette baignoire.

— La faire fondre ? s'écrie Auguste. Ah non ! Il n'en est pas question !

— Ah... s'écrie Émilie qui s'évanouit de peur.

L'antiquaire est furieux.

— On n'achète pas mes meubles pour les détruire mais pour en prendre soin, sermonne-t-il, rouge de colère. Elle reste ici !

— Quoi ? Hé bien, gardez-la, votre ferraille ! s'écrie le fondeur mécontent.

Il reprend son argent et part en claquant la porte, contrarié de ce vendeur qui refuse de vendre sa marchandise.

Émilie en a la porcelaine toute froide, tant elle a eu peur. « Me faire fondre ! Dans le hangar, je ne courais pas un danger pareil ! Et j'avais des amis aussi. Où est Pipette la souris ? Pense-t-elle à moi, quelquefois ? »

Émilie se sent tout à coup seule au monde. Et dans sa peau de porcelaine, passe un long frisson de tristesse.

CHAPITRE
NEUF

Un couple et une petite fille entrent dans la boutique et se dirigent vers le marchand.

— Nous cherchons un objet un peu particulier, dit la dame.

De la vitrine, Émilie n'entend pas très bien ce qu'ils disent, mais elle voit Auguste qui se gratte le front, hoche la tête et, tout à coup, regarde dans sa direction. Puis il la désigne à sa cliente.

— Maman ! s'écrie la fillette. Quelle bonne idée ! C'est ça qu'il nous faut !

— Ça ? s'exclame le papa. Tu penses que cela fera l'affaire ?

— Mais oui, papa. Ce sera très joli. Et les autres l'aimeront beaucoup. J'en suis certaine.

Les parents se consultent puis se décident. Auguste dégage Émilie des objets qu'elle hébergeait.

— Tu n'as rien à craindre, lui chuchote-t-il joyeusement. Tu seras très bien. En fait, ajoute-t-il avec un air mystérieux, je pense que tu as trouvé ce que tu cherchais.

Émilie n'a même pas le temps de dire au revoir à son ami le tapis que l'on a déposé plus loin. La voilà déjà sortie de la boutique. Cette fois, elle ne porte pas beaucoup d'attention au trajet. Elle a surtout hâte de connaître quelle sera sa nouvelle vie. Bien sûr, les gens ont l'air gentil, mais tant qu'on ne sait pas vraiment, il vaut mieux rester sur ses gardes.

Arrivée à la maison, la baignoire n'est pas transportée à l'intérieur mais laissée dehors. Étonnée et déçue, elle passe la soirée à s'interroger. Pourquoi l'a-t-on emmenée ici ? Mais elle n'arrive pas à déduire quoi que ce soit.

Le chien de la maison, un labrador noir au pelage luisant, vient la flairer.

—Si seulement tu pouvais me dire ce que je fais ici… murmure Émilie.

Avant de se coucher, la maisonnée vient au jardin pour la revoir.

—Est-ce qu'il y en aura beaucoup, papa ?

—Ça dépend, répond celui-ci. Nous verrons cela une fois que tout sera rassemblé.

— Bonne nuit, madame la baignoire, dit la petite fille.

Cette fois, la curiosité d'Émilie est à vif. « Est-ce qu'il y en aura beaucoup ? » a demandé l'enfant. Qu'est-ce que cela veut dire ? Beaucoup de quoi ? De baignoires ? « Ça prendrait trop de place », se dit Émilie. Mais beaucoup de quoi, alors ?

Elle cherche, cherche encore. Elle cherche tellement qu'elle en a mal partout.

— Tant pis, dit-elle finalement. Attendons demain puisque je suis en sécurité, ici. Auguste l'antiquaire me l'a dit.

Quand elle est inquiète, Émilie rêve la nuit. Cette nuit-là, elle rêve que le jardin est rempli de baignoires qui marchent trois par trois, qui font des rondes et qui dansent. Le chef d'orchestre est le chien noir qui brille dans la nuit comme des centaines de lucioles.

Dès que le soleil se lève, Émilie se réveille. Il fait très beau et elle sent qu'aujourd'hui sera une bonne journée.

La petite fille accourt en gambadant, la salue joyeusement et la mesure de partout. Puis elle inscrit des chiffres sur une feuille et retourne dans la maison. Le papa vient vérifier les robinets, les mesure avec soin. Puis il revient avec des bouts de tuyauterie pour vérifier s'ils pourront être fixés à la baignoire.

Émilie n'ose croire que c'est vrai. « Je vais redevenir une vraie baignoire ! Remplie d'eau chaude à nouveau, je pourrai rendre les gens bien propres et être utile encore longtemps. »

Et pourtant, elle n'en est pas tout à fait certaine ; beaucoup de mystère plane encore autour d'elle.

Dans l'après-midi, la baignoire est transportée dans la maison, dans une pièce étrange. Il y a des aquariums avec des poissons de toutes les couleurs. Des cages avec des oiseaux multicolores qui volètent et chantent avec de jolies voix. Et, partout, des plantes vertes et des fleurs.

— Qu'est-ce que je fais ici ? s'étonne Émilie. Ce n'est pas une salle de bains, ça !

On l'installe finalement au beau milieu de la pièce. Puis on branche ses tuyaux.

— C'est prêt. Ouvrez le robinet, demande le papa.

— Glou, glou, glou, se gargarisent les tuyaux en se remplissant d'eau.

Émilie est folle de joie ! Elle se sent revivre, redevenir une vraie baignoire.

— Ça suffit. Fermez.

Le papa est content. Tout fonctionne bien. Les gens sortent de la pièce et chacun revient avec des sacs remplis de terre ou des fleurs ou des plantes. Un à un, les sacs de terre sont déversés dans la baignoire. « Quoi ? Qu'est-ce que c'est ça ? » proteste Émilie avec effroi et dégoût.

Elle ne sait plus si elle doit se réjouir ou non. En fait, elle ne comprend rien à rien.

Et enfin, la maman et la petite fille plantent de belles fleurs rouges, jaunes, bleues et violettes… dans le terreau de la baignoire. Émilie se transforme peu à peu en un joli petit jardin.

—Comme ça, dit la maman, nous aurons un jardin fleuri, même l'hiver.

CHAPITRE
DIX

Qui aurait dit qu'Émilie en arriverait là, après une vie de baignoire bien ordinaire? Maintenant qu'elle est revenue de sa surprise et qu'elle s'est habituée, elle est très contente. Au milieu de ses nouveaux amis, la baignoire jardinet entrevoit des jours heureux et paisibles.

Et pourtant...

Et pourtant, Émilie n'est pas tout à fait contente. Bien sûr elle a trouvé une bonne maison où les

gens en prennent soin et l'appré-
cient. Elle leur en est reconnais-
sante et elle est assurée de ne plus
courir de danger.

Elle a de bons amis, aussi. Les
poissons la saluent dans leurs prome-
nades gracieuses. Les fleurs lui sou-
rient de leurs pétales tout frais et
colorés. Et même si Émilie s'ennuie
un peu de Pipette la souris, elle aime
beaucoup ses nouveaux compagnons
et le beau labrador qui vient lui dire
bonjour de son museau aussi froid
que sa porcelaine.

Et, en plus, Émilie est utile.
Remplie de terre, elle aide les fleurs
à bien pousser. Quand la terre
devient sèche, la petite fille ouvre
le robinet et donne l'eau aux fleurs.
Émilie sait bien que c'est à cause
de son aide que les fleurs devien-
nent si belles. Mais…

Mais un jour, elle a voulu épater
ses amis en leur montrant qu'elle

pouvait marcher et… rien ne s'est produit! Pas un geste, pas un pas! Émilie est redevenue une baignoire comme les autres. Immobile!

Comme elle est déçue. Au fond, elle aimait bien ce privilège. Elle bougonne. Pas beaucoup. Mais un peu. On s'habitue vite à être gâté!

Alors la fée Porcelaine lui fait une courte visite.

— Pourquoi donc voudrais-tu marcher? lui demande-t-elle. As-tu besoin de te cacher, de te sauver, de te rechercher encore une autre maison?

— Non… avoue Émilie.

— Je t'ai donné ce don parce que tu en avais besoin et que tu étais bien décidée à vivre encore longtemps et à être utile. Chaque fois que tu auras besoin d'aide et que tu auras du courage, sois sans crainte, Émilie, je t'aiderai. Mais c'était une nouvelle maison que tu cherchais. Ne l'as-tu pas trouvée?

Émilie regarde les fleurs qui poussent devant elle, les poissons qui nagent paresseusement dans les aquariums…

Alors Émilie cesse de réfléchir. Elle écoute son cœur et elle se laisse aller doucement à se sentir bien, dans tout son corps de porcelaine.

Oui, Émilie a retrouvé une maison et elle est encore mieux qu'avant, dans cette belle grande pièce si lumineuse avec tant d'amis. Et elle admet qu'elle se sent bien, tellement bien. Enfin!

À l'âge de la retraite, une nouvelle vie commence pour Émilie la baignoire à pattes.